A noite dos Animais inventados

A Noite dos Animais Inventados

David Machado

ilustrações de
Teresa Lima

Editorial Presença

Email do autor: davidmachado2002@yahoo.com

FICHA TÉCNICA

Título: *A Noite dos Animais Inventados*
Autor do texto: *David Machado*
Autora das ilustrações: *Teresa Lima*
Copyright © by David Machado e Editorial Presença, Lisboa, 2006
Capa: *Ilustração de Teresa Lima com arranjo gráfico de Ana Espadinha*
Fotocomposição, impressão e acabamento: *Multitipo — Artes Gráficas, Lda.*
1.ª edição, Lisboa, abril, 2006
2.ª edição, Lisboa, junho, 2007
3.ª edição, Lisboa, junho, 2008
4.ª edição, Lisboa, novembro, 2008
5.ª edição, Lisboa, abril, 2010
6.ª edição, Lisboa, setembro, 2012
7.ª edição, Lisboa, fevereiro, 2015
Depósito legal n.º 309 975/10

Reservados todos os direitos
para a língua portuguesa à
EDITORIAL PRESENÇA
Estrada das Palmeiras, 59
Queluz de Baixo
2730-132 BARCARENA
info@presenca.pt
www.presenca.pt

A noite dos animais inventados

A noite tinha chegado depressa e em poucos minutos o quarto ficou mergulhado na escuridão. Jonas não conseguia dormir. Estava deitado na cama, sem se mexer e a respirar devagar para não chamar a atenção das sombras do quarto, tapado até aos olhos com a manta de retalhos feita pela avó. Nas camas ao lado da sua, dormiam os três irmãos. Primeiro Jeremias, o mais velho dos quatro, depois os gémeos Jacinto e Jaime. Jonas era o mais novo.

O silêncio do quarto, misturado com o escuro que envolvia tudo, provocava calafrios nas costas de Jonas. Os seus olhos dançavam de um lado para o outro, pois parecia-lhe que em todos os cantos as sombras se mexiam. Então sentiu um novelo de medo enredar-se-lhe no estômago e depois subir pelos ossos até lhe chegar ao peito. O seu coração começou a bater muito rápido e ele julgou que ia ser engolido pelo escuro. Por fim tapou a cabeça com a manta da avó e ficou muito quieto, à espera que o sono chegasse. «Pensa em coisas boas. Pensa em coisas boas», disse para consigo. Logo de seguida, pensou nos coloridos berlindes que tinha guardado num baú como se fossem pérolas de rainhas de outros séculos, nos barcos à vela que ao domingo navegavam as águas espelhadas do rio, na fabulosa história da «Corrida de carros mais louca do Mundo», e finalmente na quinta da avó. Deixou o pensamento vaguear pela quinta.

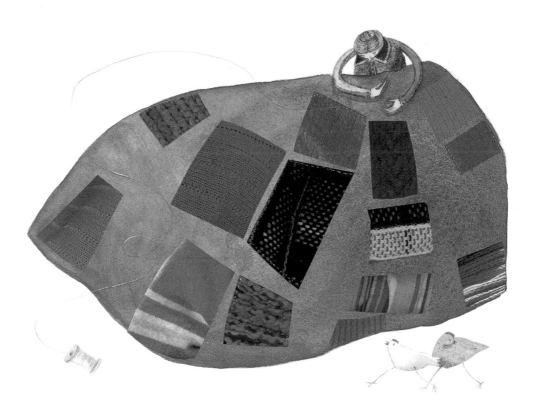

Viu a avó cosendo a manta de retalhos, o avô tirando leite da vaca logo pela manhã, as galinhas a correrem à sua volta. A imagem das galinhas reconfortou Jonas e ele sorriu debaixo dos lençóis.

«Se eu tivesse uma galinha aqui comigo», pensou Jonas, «aposto que já não tinha medo.» Então lembrou-se de inventar uma galinha para lhe fazer companhia até adormecer. De imediato, o medo no seu peito desfez-se em mil papelinhos de todas as cores e Jonas ganhou coragem para tornar a destapar a cabeça. Assim que o fez, viu a galinha inventada.

A galinha inventada do Jonas estava aos seus pés, usando a madeira da cama como poleiro, olhando fixamente para o rapaz ao mesmo tempo que virava a cabeça pequenina para um lado e para o outro. Parecia tão real que Jonas se aproximou para lhe tocar. Gatinhou sobre a manta de retalhos, muito devagar para não espantar a galinha inventada, e

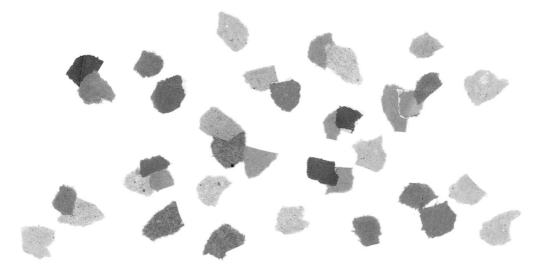

quando chegou ao pé dela fez uma festa nas suas penas acobreadas. A galinha inventada gostou do afago e cacarejou baixinho. Foi assim que Jeremias acordou.

— O que é que estás a fazer? — perguntou-lhe o irmão do meio das sombras da sua cama.

— Não conseguia dormir, estava com medo do escuro e por isso inventei uma galinha para me fazer companhia — respondeu Jonas.

Jeremias olhou a galinha inventada do irmão com algum espanto porque, apesar de já ter visto outros

animais inventados, nunca tinha visto uma galinha inventada.

— Eu quando não consigo dormir — disse Jeremias —, não invento galinhas para me fazerem companhia. Invento leopardos.

— Leopardos inventados? — questionou Jonas. — Nunca vi nenhum. Além disso, parece perigoso.

— Não é perigoso, porque eu inventei que o meu leopardo inventado não faz mal às pessoas — disse

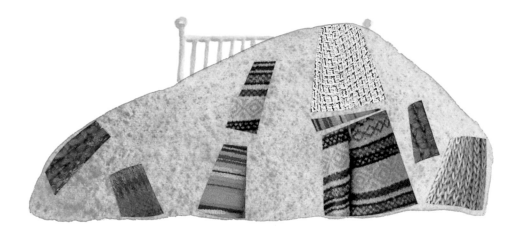

Jeremias. — Espera um pouco que eu vou inventar um para tu veres.

E logo de seguida enfiou-se debaixo dos lençóis e da sua manta de retalhos, também feita pela avó. Permaneceu lá debaixo alguns segundos e quando finalmente veio à superfície havia um elegante leopardo inventado na sua cama.

O leopardo inventado ficou quieto durante alguns segundos. Os seus olhos amarelos brilhavam na escuridão e ele girava a enorme cabeça para inspecionar o espaço à sua volta. Os dois irmãos estavam na expectativa para ver o que ia acontecer. Então o leopardo inventado viu a galinha inventada e num único salto passou da cama de Jeremias para a cama de Jonas na tentativa de apanhar a galinha inventada com a boca. Mas a galinha inventada estava de vigia e, assim que o viu saltar, começou a voar pelo quarto. O leopardo inventado lançou-se atrás dela, num corrupio descontrolado e sem fim.

No meio da confusão de penas e rugidos, os gémeos acordaram.

— Olha uma galinha inventada — disse Jacinto.

— Olha um leopardo inventado — disse Jaime.

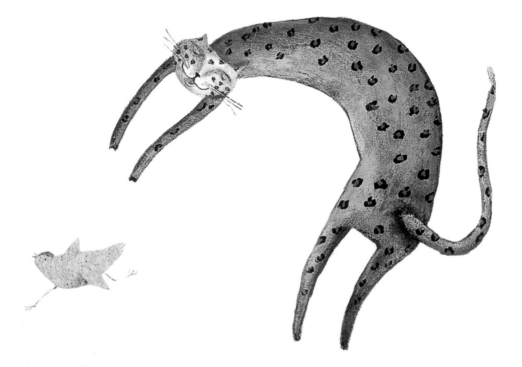

Os gémeos eram os mais inventivos dos quatro irmãos. Estavam sempre a competir um com o outro para ver quem tinha a cabeça mais engenhosa e eram capazes de estar a noite inteira a conspirar as mais fantásticas ideias. Ao verem a galinha inventada do Jonas e o leopardo inventado do Jeremias, não resistiram ao desafio e também se enfiaram debaixo das suas mantas de retalhos da avó e ali permaneceram alguns segundos. Quando saíram lá debaixo, havia uma avestruz inventada na cama de Jacinto e um camelo inventado na cama de Jaime. A avestruz inventada assustou-se com o rebuliço que ia no quarto e pôs-se a dar voltas sobre si mesma, até que escondeu a cabeça num chinelo do Jacinto e ali permaneceu até ao fim dos acontecimentos. O camelo inventado levantou-se devagar, desceu da cama para o chão e, pacatamente, começou a comer a alcatifa.

Entretanto, o leopardo inventado continuava atrás da galinha inventada, mas agora debaixo das camas.

Jonas estava perdido de espanto com a azáfama que ia pelo quarto naquela madrugada. Continuava escuro e Jonas disse aos irmãos que ia acender a luz para ver onde estava a sua galinha inventada.

— Nãããããoooooo — gritaram os gémeos. — Temos uma ideia melhor.

Enfiaram-se novamente debaixo das mantas. E, quando saíram, centenas de pirilampos inventados voavam por cima das suas camas, alumiando o quarto dos quatro irmãos. Foi então que a galinha inventada saiu disparada debaixo da cama de Jonas, fugindo como podia do leopardo inventado. Jeremias olhou para a pobre da galinha inventada fugitiva e sentiu-se culpado porque ele é que tinha imaginado o leopardo inventado. Então foi para dentro da sua manta e esperou ali uns segundos. Quando pôs a cabeça de fora, havia um gigantesco elefante inventado em cima da sua cama. A galinha inventada voou e foi pousar na tromba do elefante inventado, como se fosse o ramo mais alto de uma árvore, e o leopardo inventado ficou cá em baixo muito quieto e a ronronar, porque teve medo que o elefante inventado o pisasse com as suas patas colossais.

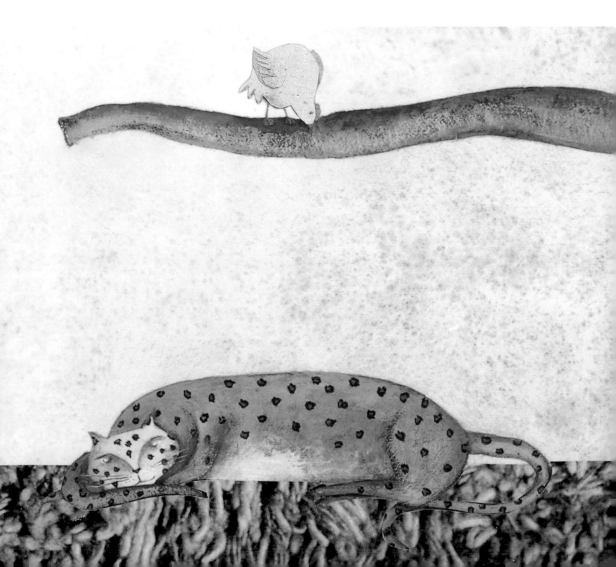

Jonas estava cada vez mais divertido com a situação. Já quase não se lembrava de que, poucos minutos antes, tinha estado imóvel debaixo dos lençóis, com um novelo de terror atado no peito. Um encanto absoluto ocupava o espaço onde antes existia o medo. Viu os pirilampos inventados flutuarem à volta do corpo esplêndido do leopardo inventado. As manchas do felino brilhavam na escuridão e Jonas, maravilhado com tudo aquilo, sentiu-se capaz de usar novamente a sua imaginação. Tornou a mergulhar nos lençóis. Quando saiu lá debaixo, havia uma tartaruga inventada na sua cama, robusta e enorme, mastigando em seco.

Logo de seguida, ouviu-se um concerto de uivos, que vinham das camas dos gémeos. Jonas e Jeremias olharam para os irmãos e descobriram uma matilha de lobos inventados saltando de uma cama para a outra. Jacinto e Jaime riam a bom rir, ao mesmo tempo que voltavam a entrar nos lençóis para inventarem mais animais. Jeremias, divertido com toda aquela brincadeira,

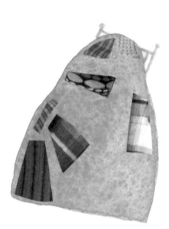

também desapareceu debaixo dos seus lençóis. E Jonas, que agora estava perdido em fascínio, não quis ficar para trás e também entrou para dentro da sua manta de retalhos.

Era quase de manhã quando deram conta que tinham perdido o controlo das suas imaginações. Havia animais inventados por todo o lado. Um imponente tigre das savanas inventado caminhava de um lado para o outro, vigilante e ameaçador, como se avaliasse a barafunda ao seu redor. Os morcegos inventados tinham voado para cima do armário na tentativa de fugir da luz dos pirilampos inventados. Uma borboleta inventada com asas de mil cores esvoaçava em volta do nariz de um urso inventado que estava sentado no chão a fazer malabarismo com três ratinhos inventados. Uma vaca inventada pastava na alcatifa ao lado do camelo inventado, e um casal de anafados porcos inventados mordiscava os lápis de cera de Jonas. Um cão inventado ladrava a um gato inventado que por sua vez olhava fixamente para os ratos inventados saltando nas patas do urso inventado.

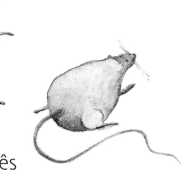

Nisto, o gato inventado saltou para apanhar um rato inventado no ar. O urso inventado assustou-se e largou os três ratinhos inventados no chão. Por causa disso, o elefante inventado, que tinha medo de ratos inventados, começou aos pulos de um lado para o outro, provocando um tremor de terra inventado no quarto dos quatro irmãos. Os animais inventados mais pequenos, como as lagartixas inventadas, os bichos-de-conta inventados e as formigas inventadas, esconderam-se debaixo das camas para fugir às pisadelas monumentais do elefante inventado. Os papagaios inventados começaram uma algazarra de gritos de alerta e a doninha fedorenta inventada, no meio do pânico, lançou o seu mau-cheiro de defesa inventado, que infestou o quarto. Só a avestruz inventada não deu conta de nada porque continuava com a cabeça enfiada no chinelo.

Entretanto, Jacinto e Jaime continuavam numa disputa cerrada para descobrirem quem era dotado com a mais engenhosa imaginação. Jacinto criara uma zebra inventada e logo depois Jaime tinha feito aparecer um jacaré inventado; depois disso, à vez, os gémeos fizeram surgir um pónei inventado, um rinoceronte inventado, um pavão inventado e uma girafa inventada. Então Jaime disse:

— Agora vou inventar o melhor animal inventado de todos. — E dito isto, entrou para dentro da manta de retalhos.

Foi assim que os três irmãos viram aparecer na cama de Jaime um colossal dinossauro inventado, que de imediato ocupou todo o espaço no quarto e todos os animais inventados ficaram apertados uns contra os outros.

— O teu dinossauro inventado é muito grande. Ninguém se mexe neste quarto — disse Jeremias. — Tens que o fazer ir embora.

Jaime percebeu que tinha ido longe demais. Voltou a meter-se debaixo da manta de retalhos para fazer o dinossauro inventado desaparecer. No entanto, quando saiu lá debaixo, o dinossauro inventado ainda estava na mesma posição, apertando os outros animais inventados contra a parede.

— Não consigo — disse Jaime em desespero. — Acho que imaginei com tanta força que agora ele não se vai embora.

Foi nessa altura que os primeiros raios de sol da manhã entraram pela janela do quarto.

— Está a amanhecer — disse Jeremias. — O pai e a mãe vão chegar daqui a poucos minutos para nos acordar e vão ver esta bicharada inventada toda.

— O que é que podemos fazer? — perguntaram os gémeos em uníssono.

Então Jeremias, Jacinto e Jaime começaram a discutir para descobrirem de quem era a culpa da situação e saberem como iam resolver tudo. Os animais inventados continuavam enroscados uns nos outros por causa do tamanho do dinossauro inventado. Até que Jonas teve uma ideia.

— E se inventássemos uma floresta inventada para estes bichos inventados viverem? — propôs.

Os três irmãos viraram-se para ele, algo desconfiados, sem perceberem bem que tipo de ideia era aquela.

— Em primeiro lugar, inventar uma floresta inventada é muito difícil — opinou Jeremias. — Segundo, como é que levamos os animais inventados para a floresta inventada?

Mas os gémeos, que já sabiam inventar coisas há muito tempo, encontraram logo uma solução.

— Se inventarmos todos juntos, somos capazes de inventar uma floresta inventada — disseram eles. — Sozinhos, talvez não. Mas juntos, sim.

Então os quatro irmãos enfiaram-se nas suas mantas de retalhos e inventaram uma floresta inventada que ficava num país inventado num longínquo continente inventado que andava à deriva no meio de um oceano inventado.

— A primeira parte já está — disse Jeremias. — E agora como é que os levamos para lá?

Os gémeos puseram-se a pensar, mas foi mais uma vez Jonas que resolveu o problema.

— E se inventássemos um comboio inventado que levasse os animais inventados para a floresta inventada?

— Mas nós não podemos ir até à estação de comboios com estes animais inventados todos — disse Jeremias.

— Pois não — responderam os gémeos. — Mas podemos inventar uma estação inventada aqui no quarto.

— Mas já não há espaço para comboios inventados ou estações de comboios inventadas por causa do dinossauro inventado do Jaime — disse Jeremias, que continuava cético.

— No quarto não há — respondeu Jonas. — Mas dentro do armário sim.

Os irmãos perceberam logo a ideia e foram de novo os quatro para dentro das suas mantas de retalhos. Quando destaparam as cabeças, as portas do armário

estavam abertas e havia um comboio inventado lá dentro. O maquinista inventado aguardava pacientemente que os passageiros subissem a bordo. Para levar os animais inventados para dentro do comboio inventado, os irmãos inventaram umas trelas inventadas e puxaram-nos até às carruagens inventadas.

A última a subir foi a galinha inventada de Jonas.

— Obrigado pela companhia — disse Jonas.

A galinha inventada cacarejou animadamente e subiu os degraus inventados do comboio inventado. Então o comboio inventado pôs-se em andamento e os quatro irmãos voltaram para as suas camas. A última carruagem inventada do comboio inventado tinha acabado de passar, quando o pai e a mãe entraram no quarto para os acordar.

A Arca do Tesouro